Napoléon III

TROIS - CONTINENTS

Napoléon III

Une publication : TROIS-CONTINENTS.
L'ensemble des documents provient des archives
appartenant à Edita S.A. Office du Livre d'Art, Compagnie du Livre d'Art, (CLA).

L'IMPÉRATRICE EUGÉNIE ET SON FILS, LE PRINCE IMPÉRIAL.

ISBN : 2-8264-0200-X
EAN : 9782826401942

La jeunesse de
Louis-Napoléon, 1808-1873

Sa mère, Hortense de Beauharnais, était la fille de l'impératrice Joséphine. Napoléon, alors qu'il n'était encore que Bonaparte, l'avait mariée à son frère Louis, dont il devait, par la suite, faire un roi de Hollande. Jamais union ne fut plus mal assortie. Le ménage se disloqua complètement. Louis, après la chute de l'Empire, partit en Italie. La reine Hortense se retira à Arenenberg, en Suisse, au bord du lac de Constance. C'est là qu'elle éduqua son dernier fils, celui qui devait devenir Napoléon III.

Il était né, le 20 avril 1808, à Paris. L'empereur Napoléon avait présidé à son baptême solennel à Fontainebleau, en 1810. C'était le troisième enfant de Louis et d'Hortense.

Après Waterloo, les puissances victorieuses et le gouvernement royal de France avaient mis la famille Bonaparte en interdit absolu ; tous ses membres étaient placés sous la surveillance de la haute police et ne pouvaient se déplacer sans que toutes les chancelleries d'Europe fussent en émoi. Quant à leur résidence, ce n'était pas une mince affaire de trouver un pays qui consentît à les recevoir. La reine Hortense, sous le nom de duchesse de Saint-Leu, erra longtemps avant de trouver sur les bords du lac de Constance, dans la maison d'Arenenberg, un asile où elle pût élever ses enfants sans avoir la crainte perpétuelle de se voir invitée à passer la frontière. Louis-Napoléon avait alors sept ans ; toute sa vie, il devait se rappeler ce temps d'inquiétude où sa mère, son frère, lui-même étaient tenus en suspicion. Mais il se rappelait aussi la dernière vision qu'il avait eue de son oncle : l'Empereur partait pour la courte campagne qui devait, quelques jours après, finir à Waterloo.

PAGE DE DROITE: NAPOLÉON À LA BATAILLE DE WATERLOO.

CI-DESSOUS : L'ARRIVÉE DES PRUSSIENS DE BÜLOW, À WATERLOO.

Louis-Napoléon ne peut rentrer en France où les lois d'exil n'ont pas été abrogées par la révolution de Juillet (juillet 1830), la chute des Bourbons et l'avènement de Louis-Philippe qui a, en 1832, expressément maintenu les rigueurs contre les autres dynasties. Il est tout bouillant d'enthousiasme pour la liberté, dont le souffle, en ces mois de 1830, soulève le monde. Justement, voici que les Romagnes, province appartenant à l'Église, se sont révoltées. Les deux fils de la reine Hortense prennent les armes pour la cause de la liberté. Le fils aîné meurt de maladie pendant l'insurrection (1831). Du rang de cadet, Louis-Napoléon passe à celui d'aîné, de chef de famille.

CI-CONTRE :
HORTENSE DE
BEAUHARNAIS.
FILLE DE
L'IMPÉRATRICE
JOSPÉHINE, AVAIT
ÉTÉ ADOPTÉE PAR
NAPOLÉON I ER. SON
MARIAGE AVEC
LOUIS NE FUT PAS
HEUREUX ; ELLE
REPORTA TOUTE
SA TENDRESSE SUR
SES FILS.

Presque en même temps, arrive de Rome la nouvelle de la mort du roi de Rome, qui, sous le nom dérisoire de duc de Reichstadt, finit une destinée mélancolique (1832).

C'est à Louis-Napoléon qu'échoit le glorieux et périlleux héritage de l'idée impériale.

Du coup, son caractère s'affirme, se précise, se mûrit, se fixe des objectifs déterminés, pour le présent et pour l'avenir. Le jeune officier suisse, le partisan engagé dans une aventure plus ou moins révolutionnaire, se mue vite en un prince réfléchi, silencieux, conscient de ses possibilités et de sa mission. Il reçoit beaucoup de gens à Arenenberg, où il s'est retiré après son équipée des Romagnes. Il interroge, il écoute, il réunit ses renseignements. Entre tous, il recherche le témoignage des nombreux survivants de l'Empire. Sans qu'il en laisse rien paraître, des projets se forment dans son esprit.

9

L'HÔTEL DE BEAUHARNAIS,
RUE DE LILLE À PARIS,
CONFISQUÉ PAR L'EMPEREUR
POUR LE DONNER À LA REINE HORTENSE.
JOSÉPHINE L'A ELLE-MÊME DÉCORÉ.

CI-DESSUS :
LE SALON DES QUATRE SAISONS.

PAGE DE GAUCHE :
CHAMBRE DITE DE LA REINE HORTENSE.

L'empereur est mort depuis douze ans, et nombreux sont ceux pour qui il est encore vivant. Son nom peut soulever des enthousiasmes, faire naître des mouvements profonds, insoupçonnés.

En attendant que ses projets prennent corps, Louis-Napoléon se fiançait avec sa cousine Mathilde, fille du roi Jérôme.

CI-CONTRE :
CHARLES X.

CI-CONTRE:
CHARLES X SE
REND À NOTRE-
DAME APRÈS
SON AVÈNEMENT.

CI-DESSUS :
SACRE
DE CHARLES X
LE 29 MAI 1825
DANS
LA CATHÉDRALE
DE REIMS.

CI-CONTRE :
COMBAT, PLACE
DE LA BOURSE DU
27 JUILLET 1830.

CI-DESSOUS :
COMBAT DE
LA PORTE
SAINT-DENIS
PENDANT
LES TROIS
GLORIEUSES.

CI-DESSUS :
CARICATURE
DE POLIGNAC ET
SON COMPLICE
RAGUSE.

ORDONNANCES DU ROI

« CHARLES, par la Grâce de Dieu, Roi de France
et de Navarre.

A tous ceux qui ces présentes verront, Salut.
Sur le rapport de notre Conseil des Ministres,
Nous avons ordonné et ordonnons ce qui suit :

ARTICLE PREMIÈRE. — La liberté de la presse périodique est suspendue.

ART. 2. — Les dispositions des articles 1er, 2 et 9 du titre premier de la loi du 21 octobre sont remises en vigueur.

En conséquence, nul journal et écrit périodique ou semi-périodique, établi ou à établir, sans distinction des matières qui y seront traitées, ne pourra paraître, soit à Paris, soit dans les départements, qu'en vertu de l'autorisation qu'en auront obtenue de nous séparément les auteurs et l'imprimeur.

Cette autorisation devra être renouvelée tous les trois mois.

Elle pourra être révoquée.

ART. 3. — L'autorisation pourra être provisoirement accordée ou provisoirement retirée par les préfets aux journaux et ouvrages périodiques ou semi-périodiques publiés ou à publier dans les départements.

ART. 4. — Les journaux et écrits publiés en contravention de l'article 2, seront immédiatement saisis.

Les presses et caractères qui auront servi à leur impression seront placés dans un dépôt public et sous scellés ou mis hors de service.

ART. 5. — Nul écrit au-dessous de vingt feuilles d'impression ne pourra paraître qu'avec l'autorisation de notre ministre Secrétaire d'État de l'Intérieur, à Paris, et des préfets dans les départements.

Tout écrit de plus de vingt feuilles d'impression qui ne constituera pas un même corps d'ouvrage, sera également soumis à la nécessité de l'autorisation.

Les écrits publiés sans autorisation seront immédiatement saisis.

Les presses et caractères qui auront servi à leur impression seront placés dans un dépôt public et sous scellés, ou mis hors de service.

ART. 6. — Les mémoires sur procès et les mémoires des sociétés savantes ou littéraires sont soumis à l'autorisation préalable, s'ils traitent, en tout ou en partie, de matières poli-

tiques, cas auquel les mesures prescrites par l'article 5 leur seront applicables.

ART. 7. — Tous, disposition contraire aux présentes cessera sans effet.

ART. 8. — L'exécution de la présente ordonnance aura lieu en conformité de l'article 4 de l'ordonnance du 27 novembre 1816 et de ce qui est prescrit par celle du 18 janvier 1817.

ART. 9. — Nos ministres Secrétaires d'État sont chargés de l'exécution des présentes.

Donné à notre château de Saint-Cloud, le 25 juillet de l'an de grâce 1830, et de notre règne le sixième.

Par le Roi :

CHARLES.

Le Président du Conseil des Ministres :
Prince DE POLIGNAC.
Le Garde des Sceaux, Ministre de la Justice :
CHANTELAUZE.
Le Ministre, Secrétaire d'État de la Marine et des Colonies :
Baron d'HAUSSEZ.
Le Ministre, Secrétaire d'État des Finances :
MONTBEL.
Le Ministre, Secrétaire d'État des Affaires ecclésiastiques et de l'Instruction publique :
Comte DE GUERNON-RANVILLE.
Le Ministre, Secrétaire d'État des Travaux publics :
Baron CAPELLE.

CHARLES, par la Grâce de Dieu, Roi de France
et de Navarre.

A tous ceux qui ces présentes verront, Salut.
Vu l'article 50 de la Charte constitutionnelle,
Étant informé des manœuvres qui ont été pratiquées dans plusieurs points de notre royaume, pour tromper et égarer les électeurs pendant les dernières opérations des collèges électoraux,

Notre Conseil entendu,
Nous avons ordonné et ordonnons :

ARTICLE PREMIER. — La Chambre des Députés des départements est dissoute.

ART. 2. — Notre ministre Secrétaire d'État de l'Intérieur est chargé de l'exécution de la présente ordonnance.

Donné à Saint-Cloud, le 25e jour du mois de juillet de l'an de grâce 1830 et de notre règne le sixième.

Par le Roi :

CHARLES.

Le Ministre, Secrétaire d'État de l'Intérieur :
Comte DE PEYRONNET.

CI-CONTRE :
LES COMBATS AU
PONT D'ARCOLE
ET À L'HÔTEL
DE VILLE.

Mathilde, repartie pour Florence préparer son mariage, y apprit l'aventure tentée par son fiancé. A Strasbourg, où il s'était rendu secrètement, le prince Louis-Napoléon s'était fait prendre en flagrant délit de coup d'État, de provocation à la sédition militaire. Sans en parler à quiconque, sinon à quelques complices, le calme soupirant de Mathilde venait de se révéler un homme d'action, que les difficultés n'effrayaient pas et qui saurait passer de la théorie à la pratique si les circonstances l'exigeaient, fut-ce au mépris des lois existantes. Le parti bonapartiste avait désormais un chef, et qui savait ce qu'il voulait.

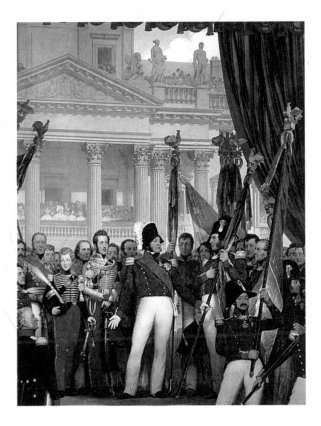

CI-DESSUS :
LOUIS-PHILIPPE 1ᴱᴿ
REMET LES
DRAPEAUX
À LA GARDE
NATIONALE
DE PARIS.

Premier échec : Strasbourg

C'est de bien peu, ce 30 octobre 1836, que la tentative de Louis-Napoléon à Strasbourg n'aboutît, du moins localement. Il essaya de soulever les corps de troupe où il s'était ménagé des intelligences. Le régiment d'infanterie resta muet aux exhortations du prince. Et la journée n'était pas terminée que le prince prenait le chemin de Paris, non pas en triomphateur, mais, plus simplement, entre deux gendarmes.

Le roi Louis-Philippe était fort embarrassé de ce prisonnier, pour qui il afficha le plus grand dédain. Plutôt que de lui procurer une publicité dangereuse, en le déférant à la justice, il jugea préférable de l'éloigner. Quelques jours après, une frégate embarqua Louis-Napoléon et le déposait en Amérique, avec prière de ne pas revenir en France et de se tenir tranquille.

Les quasi-fiançailles du prince avec sa cousine Mathilde se trouvèrent rompues et le silence se fit sur l'imprudent.

CI-DESSOUS : HANTÉ PAR DES RÊVES GRANDIOSES, LOUIS-NAPOLÉON ESSAYA (OCTOBRE 1836) DE SOULEVER LA GARNISON DE STRASBOURG ET DE LA RALLIER À LA CAUSE IMPÉRIALE. CE FUT UN ÉCHEC. BIBLIOTHÈQUE NATIONALE, PARIS.

Deuxième échec : Boulogne
(6 août 1840)

CI-DESSOUS :
RÉFUGIÉ EN
ANGLETERRE, LE
PRINCE LOUIS-
NAPOLÉON TENTA
UN NOUVEAU
COUP DE FORCE
CONTRE LE
GOUVERNEMENT
DE LOUIS-
PHILIPPE. UN
DÉBARQUEMENT
À BOULOGNE
(AOÛT 1840)
ÉCHOUA AUSSI.

La mort de sa mère, la reine Hortense, à laquelle il était tendrement attaché, fut la raison qui ramena Louis-Napoléon en Suisse, puis en Angleterre.

Louis-Napoléon loua un bateau à Londres, y embarqua un certain nombre de désœuvrés, recrutés vaille que vaille et déguisés en soldats, des vivres, des proclamations, de l'argent, un état-major empanaché, tout ce qu'il fallait pour réussir. Il poussa même la prévoyance, dit-on, jusqu'à emmener avec lui un aigle vivant, symbole de sa foi.

L'échec fut immédiat, absolu, définitif. Dès la première minute, tout espoir était perdu de sauver même la face.

Louis-Napoléon, ramené à Paris, enfermé à la Conciergerie, commença l'« apprentissage de la captivité » et prit contact avec la justice de son pays.

23

Le roi Louis-Philippe, en effet, estima qu'il pouvait cette fois, et sans danger pour son trône, faire passer devant des juges ce conspirateur. Renonçant à l'éloigner, il le fit comparaître devant la Chambre des pairs, réunie en cour souveraine.

Ce fut, pour le prince, l'occasion de sortir de l'ombre. Jusqu'alors, personne ne le connaissait. Il n'avait jamais, et pour cause, habité la France. Qui donc savait qui il était, quel lien de parenté l'unissait au grand Empereur ? De quel droit parlait-il en son nom ? D'où venait-il ? Que voulait-il ? Louis-Napoléon, devant la Chambre des pairs, se posa carrément en représentant de l'idée, de la tradition napoléoniennes. Il refusa de reconnaître pour ses juges ces hommes dont la plupart devaient tout à l'Empereur. Le prince n'en fut pas moins condamné à la détention perpétuelle dans une enceinte fortifiée : en l'espèce, la forteresse de Ham, en Picardie.

CI-CONTRE :
LE PRISONNIER DE HAM.
ENFERMÉ DANS LA FORTERESSE DE HAM, LOUIS-NAPOLÉON OCCUPA SON TEMPS À DES LECTURES ET À DES TRAVAUX OÙ SE MARQUE SON GOÛT POUR L'ÉCONOMIE POLITIQUE ET LES QUESTIONS SOCIALES.
MUSÉE CARNAVALET.

Les ministres de Charles X y avaient été enfermés après la révolution de 1830. Napoléon devait y passer six ans.

Louis-Napoléon, dans sa prison, recevait des visites, des lettres, lisait des journaux. Il pouvait ainsi mesurer la désaffection générale à l'égard de la monarchie de Louis-Philippe, les critiques tous les jours plus nombreuses qu'elle suscitait. Mesurer aussi la persistance, à la voix de Béranger, de la légende napoléonienne. Au printemps de 1846, il prit sa décision et s'évada en plein jour. Avant le soir, il franchissait la frontière belge. Quelques jours plus tard, il était à Londres.

26

CI-CONTRE :
ARRIVÉE DU DUC
D'ORLÉANS, QUI
SERA PROCLAMÉ
ROI DES FRANÇAIS
SOUS LE NOM DE
LOUIS-PHILIPPE IER,
AU PALAIS-ROYAL,
LE 30 JUILLET 1830.

Il y rencontra l'accueil le plus flatteur auprès de l'aristocratie britannique. L'annonce de la révolution de février 1848 ouvrait pour lui des espérances immenses. Deux jours après la proclamation de la République, il prenait le paquebot pour la France.

La révolution, l'abdication du roi Louis-Philippe, la proclamation de la République étaient, pour la plus grande partie du pays, une surprise. D'une émeute strictement parisienne sortait une révolution qui laissait la province étonnée, pour ne pas dire scandalisée. Le pouvoir passait, de celles d'un gouvernement provisoire, aux mains d'une Assemblée constituante.

CI-DESSOUS :
LA DEUXIÈME
RÉVOLTE DES
CANUTS EN 1834.

Le grand tournant

Dès la chute de Louis-Philippe, le prince était accouru à Paris. Lamartine, alors ministre des Affaires étrangères de la jeune République, lui avait, sous une forme chaleureuse, mais précise, rappelé que les lois d'exil n'étaient pas abrogées et qu'il eût à regagner sans retard l'Angleterre. Plusieurs tentatives du même ordre avaient rencontré semblable échec. La loi, votée en 1815, interdisant à jamais aux Bonaparte l'accès du territoire français, gardait toute sa valeur. Que voulait cet intrus, cet inconnu, si étrangement suspect ? Pourtant, quand, à des élections complémentaires, en juin, puis en septembre 1848, cinq départements, la Seine, la Corse, la Charente-Inférieure, la Sarthe, plus tard la Moselle, le choisirent pour leur représentant à l'Assemblée, celle-ci ne put plus traiter l'élu en quantité négligeable. Sur son nom, et sans qu'il eût organisé ni

LOUIS-PHILIPPE IER
EN UNIFORME.

même amorcé une campagne quelconque, une sorte de plébiscite spontané se faisait. Force fut à l'Assemblée de reconnaître pour valable l'opinion, si clairement exprimée, des électeurs.

Après quelques éclipses, dues à la fausseté de sa situation officielle, Louis-Napoléon vint donc siéger à l'Assemblée ; il y fit, d'ailleurs, médiocre figure. A la tribune, il apparut assez gauche, sans aucune qualité d'orateur. Pourtant, autour de lui, un murmure s'élevait. Son nom parlait pour lui.

La popularité de ce Bonaparte inconnu faisait son chemin. Elle éclata soudain, comme un coup de tonnerre, quand la question se posa de l'élection au suffrage universel du président de la République. Deux candidats se trouvèrent en présence : Louis-Napoléon Bonaparte et Cavaignac, général d'Afrique, qui, en sa qualité de chef du pouvoir exécutif, avait durement maté les émeutiers de Juin : un homme honnête, mais dont l'aspect rugueux eût suffi à refroidir les enthousiasmes.

Le 10 décembre 1848, l'homme qui, deux ans auparavant, s'évadait comme un malfaiteur de prison était élu président de la République par plus de cinq millions et demi de suffrages sur sept millions et demi de votants.

L'élection de Louis-Napoléon à la présidence de la République témoignait du grand désir d'ordre existant dans le pays. Lui-même avait résumé ses intentions dans une phrase demeurée fameuse : « *Quand on a l'honneur d'être à la tête du peuple français, il y a un moyen infaillible de faire le bien, c'est de le vouloir.* » C'était le plus beau des programmes.

Mais le Prince-Président comprit vite qu'il n'était pas aisé de gouverner à côté d'une assemblée ombrageuse, et encore moins contre elle. Après avoir constitué un certain nombre de cabinets parlementaires,

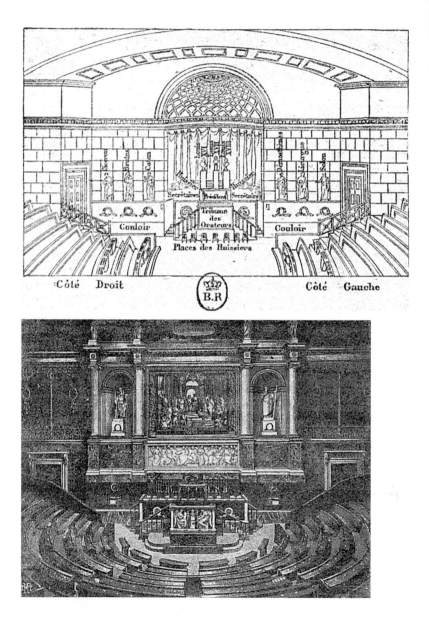

CI-DESSUS :
JAURÈS À LA
CHAMBRE DES
DÉPUTÉS EN 1908.
ASSEMBLÉE
NATIONALE, PARIS.

PAGE DE GAUCHE :
SALLE DES
SÉANCES DE LA
CHAMBRE DES
DÉPUTÉS.

il en vint peu à peu à choisir ses ministres hors de l'Assemblée. Celle-ci, de son côté, finit par adopter à son égard une attitude d'opposition systématique. Politique intérieure, politique extérieure : sur les deux terrains, l'Élysée et l'Assemblée se heurtaient. L'expédition de Rome, organisée pour soutenir le pouvoir temporel du Pape, dressa contre le Président nombre d'éléments de gauche. Le refus d'augmenter sa liste civile fut ressenti par le prince comme un affront personnel ; la loi du 31 mai 1850, réduisant le suffrage universel, constitua l'un des plus grands chevaux de bataille dans une lutte qui ne pouvait plus se terminer que par une rupture violente, d'une part ou de l'autre.

Ce fut le pouvoir exécutif qui sauta le pas et mit le législatif dans sa poche.

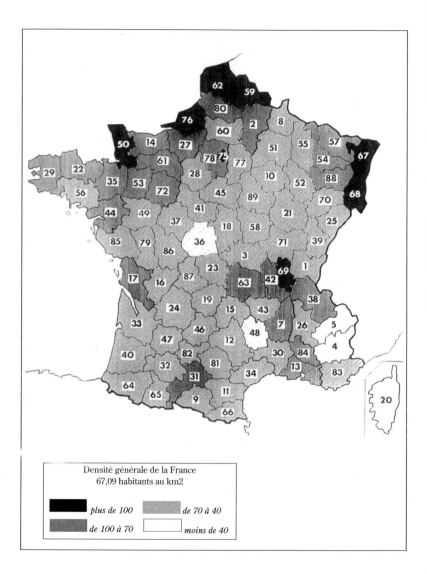

Densité générale de la France
67,09 habitants au km2

- plus de 100
- de 100 à 70
- de 70 à 40
- moins de 40

CARTE DE LA POPULATION EN 1846.

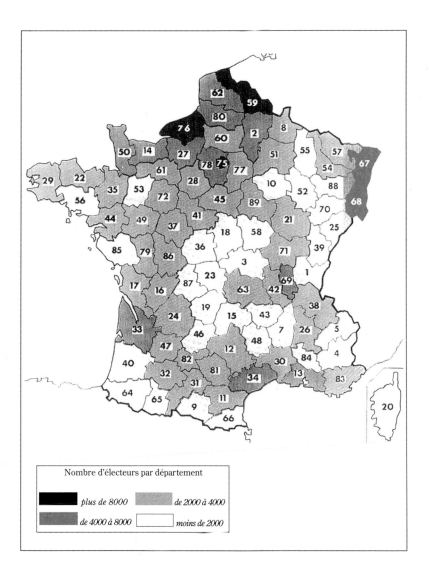

Nombre d'électeurs par département

■ plus de 8000   ▨ de 2000 à 4000

▨ de 4000 à 8000   □ moins de 2000

CARTE DES ÉLECTEURS EN 1846.

Le coup d'État

« *Une opération de police un peu rude.* » Ainsi est défini le coup d'État du 2 décembre 1851 par l'un de ses principaux exécutants.

Quand Paris s'éveilla à l'aube, des affiches couvraient les murs, annonçant la dissolution de l'Assemblée nationale et convoquant le peuple à se prononcer dans un plébiscite sur une nouvelle constitution s'inspirant de celle de brumaire an VIII, qui avait créé le Consulat. Elle appelait à la tête de l'État un président, aux pouvoirs illimités, nommé pour dix ans. La masse de la population ne protesta ni même ne s'indigna. L'Assemblée était tombée dans un discrédit

CI-CONTRE :
LE GÉNÉRAL
LAMORICIÈRE
AU PALAIS-ROYAL
EN 1848.

CI-CONTRE :
RÉVOLUTION
DE 1848 :
LORS DES
JOURNÉES DE JUIN,
L'ARMÉE ATTAQUE
UNE BARRICADE
RUE SAINT-
ANTOINE.

presque absolu ; l'idée que les plus remuants d'entre les représentants étaient arrêtés et mis sous clef souleva dans le peuple une sorte de satisfaction.

Les choses tournèrent plus mal pour Louis-Napoléon au cours des deux journées suivantes. La résistance s'organisa. Les républicains mirent le Président hors la loi. Des barricades s'élevèrent. De province arrivaient des nouvelles inquiétantes pour le nouveau gouvernement. Sur les grands boulevards, une soudaine échauffourée, aux causes encore mal déterminées, amena une véritable bataille entre les défenseurs de la République et la troupe. Celle-ci fit usage de ses armes, causant aux opposants de dures pertes. Paris, accablé, sanglant, se tut. Il ne devait pas oublier la fusillade du boulevard Montmartre.

CI-CONTRE :
QUI VEUT DES
GOURDINS ? LA
PROPAGANDE
BONAPARTISTE
PRÉCONISAIT LA
MANIÈRE FORTE.
COLLECTION DU
"CHARIVARI".

CI-DESSUS :
LA BARRICADE,
PAR ALFRED
RETHEL : 1849.
DRESDE.

PAGE DE DROITE :
LAMARTINE
REJETANT LE
DRAPEAU ROUGE
EN 1848. DÉTAIL
PAR HENRI-FÉLIX
PHILIPPOTEAUX.
MUSÉE DU PETIT
PALAIS.

CI-DESSUS :
LES MEMBRES DU GOUVERNEMENT PROVISOIRE.
CABINET DES ESTAMPES.
BIBLIOTHÈQUE NATIONALE, PARIS.

A L'HÔTEL DE VILLE S'ÉTAIT FORMÉ UN GOUVERNEMENT
PROVISOIRE COMPOSÉ DES NOMS ALORS LES PLUS POPULAIRES :
DUPONT DE L'EURE, ARAGO, LAMARTINE, LEDRU-ROLLIN, MARIE,
CRÉMIEUX, GARNIER-PAGÈS.
DÈS LE 25 FÉVRIER, LES OUVRIERS AVAIENT EXIGÉ LA
SUBSTITUTION DU DRAPEAU ROUGE AU DRAPEAU TRICOLORE ET
UNE GRANDE MANIFESTATION EUT LIEU DEVANT L'HÔTEL DE
VILLE.
LAMARTINE PARUT ALORS AU BALCON ET, GRÂCE À SON
ÉLOQUENCE, IL APAISA LES OUVRIERS. « VOUS VOULEZ, DIT-IL,
SUBSTITUER UNE RÉVOLUTION DE VENGEANCES ET DE SUPPLICES
À UNE RÉVOLUTION DE FRATERNITÉ. VOUS
COMMANDEZ À UN GOUVERNEMENT D'ARBORER, EN SIGNE DE
CONCORDE, L'ÉTENDARD DE COMBAT À MORT ENTRE LES
CITOYENS D'UNE MÊME PATRIE ! ... JAMAIS MA MAIN NE SIGNERA
CE DÉCRET. JE REPOUSSERAI JUSQU'À LA MORT CE DRAPEAU DE
SANG, ET VOUS DEVRIEZ LE RÉPUDIER PLUS QUE MOI, CAR LE
DRAPEAU ROUGE N'A JAMAIS FAIT QUE LE TOUR DU CHAMP-DE-
MARS TRAÎNÉ DANS LE SANG DU PEUPLE, ET LE DRAPEAU
TRICOLORE A FAIT LE TOUR DU MONDE AVEC LE NOM, LA GLOIRE
ET LA LIBERTÉ DE LA PATRIE ! »

42

PAGE DE GAUCHE :
LAMARTINE ET
LEDRU-ROLLIN
REVENANT DE
L'HÔTEL DE VILLE
LE 15 MAI 1848.
BIBLIOTHÈQUE
NATIONALE, PARIS.

CI-DESSUS :
LE TRÔNE
DES TUILERIES
TRANSPORTÉ
JUSQU'À
LA BASTILLE LE
24 FÉVRIER 1848.
BIBLIOTHÈQUE
NATIONALE, PARIS.

De ce terrible baptême, un régime nouveau a naître, un régime de tranquillité, de paix sociale. Ma la liberté, celle de la presse, de la parole, de la pensée, ne furent plus que des souvenirs.

La vie parlementaire, dans la constitution nouvelle, était pratiquement nulle. Un Corps législatif impuissant, réduit au silence, sans qu'il eût mot à dire, et dont les séances n'étaient pas publiques. Un Sénat composé de personnalités choisies parmi les plus illustres et nommées par le Prince-Président. Un ministère responsable devant ce dernier seulement. Celui-ci tient le pouvoir tout entier entre ses mains.

La constitution nouvelle n'était qu'une transition avec le rétablissement de l'Empire. Un an plus tard, le 2 décembre 1852, jour anniversaire du sacre et de la bataille d'Austerlitz, c'était chose faite, et l'Empereur proclamé sous le nom de Napoléon III. Un plébiscite ratifia le sénatus-consulte par 7 825 000 approbations contre un peu plus de 253 000 non.

Le 2 décembre, réquisitoire et plaidoyer

On n'a pas fini de se disputer autour du Deux Décembre. Il semble qu'on puisse commencer d'envisager objectivement un événement politique dont les conséquences furent immenses, en bien comme en mal. Examinons, comme disent les juristes, les divers éléments de la cause ; écoutons l'accusation avant de donner la parole à la défense.

Le 20 décembre 1848 en prenant possession de ses nouvelles fonctions, Louis-Napoléon Bonaparte avait prêté serment à la Constitution. Or celle-ci considérait expressément toute atteinte du pouvoir exécutif contre l'Assemblée souveraine comme un

DOUBLE PAGE
PRÉCÉDENTE :
LES TROUPES DE
LIGNE ATTAQUENT
LA BARRIÈRE DE
FONTAINEBLEAU,
LE 25 JUIN 1848.
MUSÉE
CARNAVALET,
PARIS.

CI-DESSUS :
RÉCOMPENSE
HONNÊTE AUX
ÉLECTEURS
OBÉISSANTS,
PAR DAUMIER.

crime de haute trahison. Et jamais, peut-être, parole ne fut plus solennellement engagée que celle donnée par le prince Louis à la face de la nation. Il était évident aussi que, le coup fait, les égards dus aux représentants du pays coupables de loyalisme avaient été réduits au minimum, malgré l'intangibilité dont ils se réclamaient éloquemment. Évidemment aussi que la répression terrible avait laissé le peuple de Paris hébété et qu'ainsi qu'il arrive trop souvent en pareilles circonstances le sang innocent avait coulé. Évident, enfin, que les mesures prises après le coup d'État – dans les départements surtout : arrestations, cours martiales,

déportations, ressortissaient à une justice hâtive,
fâcheusement voisine de l'injustice. Évident, aveuglant,
que la liberté, au moment où naît l'Empire, n'était plus
qu'un mot et qu'un sévère bâillon fermait les lèvres qui
tentaient de protester.

Après la thèse, l'antithèse qui a mis du temps à
se faire entendre.
Ce coup d'État, qu'il vînt du Président ou de
l'Assemblée, il n'était personne qui ne l'attendît – bien
mieux : qui ne l'excusât par avance, le tenant pour
inévitable.

L'Assemblée, élue au lendemain des journées de février 1848, avait forgé une Constitution idéale, nantie de tous les inconvénients qui frappent toute œuvre humaine insuffisamment inspirée des réalités.

Ces hommes de 1848 débordaient d'idées généreuses, mais ils se nourrissaient de chimères. Les élans passionnés de la République, le désir qu'elle affichait d'ouvrir ses bras au monde entier et de réunir tous les Français dans un commun embrassement aboutissait à une série de fiascos qui n'étaient pas tous

inoffensifs. A une prospérité générale avait vite succédé une misère tous les jours grandissante. Les émeutes connues sous le nom de « journées de Juin » prirent vite un caractère nettement révolutionnaire ; elles avaient été à la base de l'élection de Louis-Napoléon, considéré comme le champion de l'ordre contre le désordre, et dont l'arrivée au pouvoir avait été un soulagement pour tout le monde.

Mais, revenus de leur idéologie, rassurés sur la tranquillité du lendemain, les hommes de l'Assemblée ne songeaient qu'à leurs intrigues de couloirs. Le plus clair de leur activité relevait de soucis électoraux. Chose étrange : ces élus pensaient moins à leur réélection qu'à celle du président de la République, porté à la tête du pays par un immense mouvement d'opinion.

CI-DESSOUS :
LA CONSTITUTION
DE 1848.

Le terme de son mandat (non renouvelable) approchait et l'on se disputait sa place, comme s'il avait déjà passé la main. Ce Louis-Napoléon, qu'elle avait bien été obligée d'accepter, l'Assemblée affectait de le traiter en quantité négligeable, destiné à retomber dans une obscurité dont il n'aurait, pensait-on, jamais dû sortir.

Celui-ci se rappelait sans doute le vers fameux :
« *Les gens que vous tuez se portent assez bien...* »

Il avait quelques excuses, puisqu'on ne parlait que de sa mort, à vouloir prouver qu'il était bien vivant.

Encore s'il n'avait été question que de simples intrigues parlementaires ! mais le changement des institutions était ouvertement et par tous envisagé. Les fils de Louis-Philippe laissaient courir le bruit de leur prochain retour en France et aux affaires ; le prince de Joinville faisait, aux yeux de force braves gens, figure de futur chef de la France. Une course de vitesse s'était ainsi engagée entre candidats au pouvoir ou, plutôt, entre ceux qui voyaient dans la réforme de la constitution le seul moyen de sortir des embarras politiques ou économiques dans lesquels s'enlisait la République.

CI-DESSOUS :
BULLETIN DE VOTE. LE PRINCE LOUIS-NAPOLÉON BONAPARTE, HIER ENCORE INCONNU, FUT, LE 10 DÉCEMBRE 1848, PAR LA SEULE PUISSANCE DE SON NOM, PROCLAMÉ PRÉSIDENT DE LA RÉPUBLIQUE FRANÇAISE.

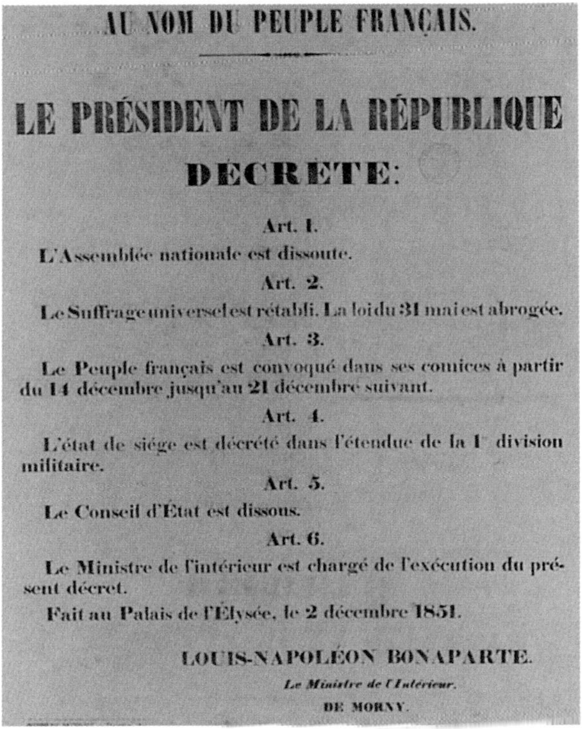

AU NOM DU PEUPLE FRANÇAIS.

LE PRÉSIDENT DE LA RÉPUBLIQUE

DÉCRÈTE:

Art. 1.

L'Assemblée nationale est dissoute.

Art. 2.

Le Suffrage universel est rétabli. La loi du 31 mai est abrogée.

Art. 3.

Le Peuple français est convoqué dans ses comices à partir du 14 décembre jusqu'au 21 décembre suivant.

Art. 4.

L'état de siège est décrété dans l'étendue de la 1ᵉ division militaire.

Art. 5.

Le Conseil d'État est dissous.

Art. 6.

Le Ministre de l'intérieur est chargé de l'exécution du présent décret.

Fait au Palais de l'Élysée, le 2 décembre 1851.

LOUIS-NAPOLÉON BONAPARTE.

Le Ministre de l'Intérieur,

DE MORNY.

CI-CONTRE :
AFFICHE PLACARDÉE DANS LA NUIT DU 1ᴱᴿ AU 2 DÉCEMBRE 1851.

Ce serait mal connaître, mal juger Louis-Napoléon, de croire qu'en l'espèce il ne songeait qu'à lui et à son avenir personnel. Il était dans l'impossibilité de gouverner avec une Assemblée qui, sur tous les terrains, lui faisait barrage, comme si elle se fût donné pour tâche de lasser sa patience, de le forcer aux actes extrêmes. Le Président savait bien que son successeur ou son remplaçant rencontrerait opposition semblable. Si l'attelage tirait à hue et à dia, c'est que la charrette ne valait rien : c'était elle qu'il fallait changer, plutôt

CI-CONTRE :
LOUIS-NAPOLÉON
BONAPARTE.

CI-CONTRE :
LOUIS-NAPOLÉON
BONAPARTE
PRÊTANT
SERMENT À LA
CONSTITUTION, LE
20 DÉCEMBRE 1848.

CI-CONTRE :
LOUIS-NAPOLÉON
BONAPARTE.

PAGES SUIVANTES :
LA FÊTE DE LA
CONSTITUTION
SUR LA PLACE DE
LA CONCORDE LE
12 NOVEMBRE 1848.

que le cocher. Louis-Napoléon était, d'autre part, fort bien renseigné sur l'état des esprits en province comme à Paris. L'incendie couvait sous la cendre. La révolution, manquée en juin 1848, pouvait, d'un jour à l'autre, éclater, plus forte, plus dangereuse ; et il faudrait, pour que le pays n'y sombrât pas, des à-coups terribles. L'accès qui s'annonçait, d'une fièvre peut-être mortelle, la sagesse ne voulait-il pas qu'on le prévînt, avant qu'il fût trop tard, par une médication sévère, mais efficace ?

Bien sûr, Louis-Napoléon n'oubliait pas le serment prêté solennellement ; mais, depuis trois ans, les événements avaient marché ; les attitudes s'étaient modifiées. Pourquoi lui seul était-il privé du droit d'agir pour le bien général ? Le devoir ne revêt-il pas, quelquefois, un double visage ?

12 Novembre 1848.

Un mariage d'amour

PAGE DE GAUCHE :
EUGÉNIE DE
MONTIJO DE
GUZMAN
IMPÉRATRICE
EN 1853.
CHÂTEAU
DE VERSAILLES.

CI-DESSOUS :
LE QUADRILLE
IMPÉRIAL. AUX
GRANDS BALS
IMPÉRIAUX DES
TUILERIES, SALLE
DES MARÉCHAUX.

Napoléon III brisa net les pourparlers engagés çà et là et, dédaignant les alliances politiques, résolut puisqu'il devait se marier, de faire, à la face de l'Europe, un mariage d'amour.

Mademoiselle Eugénie de Montijo de Palafox de Guzman, comtesse de Téba, tenait une place brillante dans la société parisienne.

Le mariage de l'empereur Napoléon III et d'Eugénie de Montijo fut célébré à Notre-Dame, le 29 janvier 1853.

65

Le 16 mars 1856, l'Impératrice mit au monde un fils, qui fut salué du beau titre de Prince impérial. Et, en fait, quand, après la chute de l'Empire, il prit la tête du parti napoléonien, il représentait pour le pays ballotté, déchiré, une grande espérance. Hélas ! il devait s'en aller, en 1879, se faire tuer, au bout du monde, sous l'uniforme anglais, pour l'honneur du nom qu'il portait : un Bonaparte, un Napoléon, ça doit se battre…

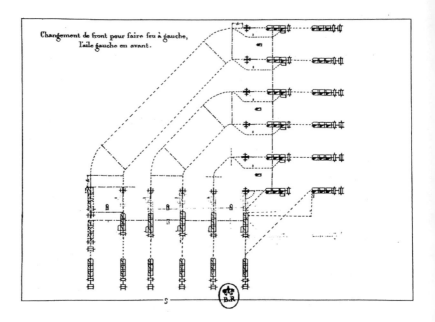

Changement de front pour faire feu à gauche,
l'aile gauche en avant.

Le son du canon
Les jours noirs

Dans la tournée de propagande qu'avait faite le Prince-Président dans les départements, avant la proclamation de l'Empire, une de ses déclarations avait eu un grand retentissement : « *L'Empire, c'est la paix.* » Moins de trois ans après, il devait se donner à lui-même un éclatant démenti. Dès 1854, la guerre éclatait entre la France et la Russie.

La Guerre de Crimée

Les monarchies absolues du centre de l'Europe et du Nord dominaient encore la diplomatie de l'Europe au milieu du XIXᵉ siècle. L'Autriche, d'accord avec la Rome de Pie IX et dominée par l'archiduchesse Sophie, était réactionnaire. La Prusse était une aristocratie militante, qui continuait de cultiver les traditions de Frédéric le Grand. Mais, plus loin, prolongeant l'Europe jusqu'à l'Asie, l'Amérique et les Dominions, sur une large surface qui touchait à la fois à la Prusse, à la Turquie, au Tibet, à la Chine et à la colonie britannique, il y avait l'Empire des Tsars.

Ces cours avaient de commun entre elles leur antipathie à l'égard de la France, et Napoléon III tenait pour une grande faute de la part de Louis-Philippe qu'il n'eût rien entrepris contre elles. Ce n'était pas seulement l'immensité et la puissance militaire de la Russie qui menaçaient l'Europe : les libéraux étaient exaspérés à l'idée que la majorité des hommes se trouve encore dans ce pays en état d'esclavage. Les protestants, de leur côté, considéraient comme un outrage que la religion de ce vaste empire, centralisée en la personne du tsar Nicolas, fût à peine plus réformée que celle de l'Église romaine et peut-être même un peu moins. Tout cela suffisait à préoccuper ceux qui désiraient maintenir l'équilibre entre les nations. Et quand la Russie voulut régenter l'administration du Sultan, les diplomates dans leur ensemble jugèrent cette prétention intolérable surtout ceux qui agissaient de leur propre initiative, car Lord Stratford de Redcliffe était

CI-DESSOUS :
LA MISE À FEU :
EN AVANT,
LE SERGENT
DE DROITE A
ÉCOUVILLONNÉ
ET ENFONCÉ
LA CHARGE,
LE SERVANT DE
GAUCHE
A PLACÉ LA
CHARGE ET

LE BOULET ;
EN ARRIÈRE,
LE CANONNIER DE
DROITE
A POINTÉ, AIDÉ
D'UN SERVANT AU
LEVIER DE
POINTAGE ; LE
CANONNIER DE
GAUCHE, MET LE
FEU AVEC SON
BOUTE-FEU

parti au printemps de 1853 pour représenter Sa Majesté Britannique auprès de la Sublime Porte.

L'affaire débuta par une dispute au sujet du Saint-Sépulcre qui appartenait aux moines latins. S'ils n'ouvraient leur porte, nul ne pouvait accéder à la chapelle qui se trouvait à côté et qui était la propriété des orthodoxes. Et ainsi Rome et Constantinople

CI-DESSUS :
BRIGADE LÉGÈRE
À LA CHARGE,
WOODVILLE.

croisèrent les lances comme au temps de leur ancien antagonisme. Deux grandes cultures nationales se trouvèrent de nouveau aux prises. La France et l'Autriche demeuraient, toutes deux à leur manière, les protectrices de la papauté : le Tsar réclamait une espèce de suprématie sur tous les chrétiens d'Orient. Une ambition nationale et personnelle se trouvait ainsi confondue avec un devoir sacré. Le pouvoir arbitraire, dont il disposait depuis si longtemps, avait quelque peu troublé l'esprit du Tsar. « *Il y a quelque chose de sauvage en lui* » écrivait la reine Victoria. Il en est arrivé à ce point qu'il considère comme un blasphème qu'on l'interroge sur ses décisions ou qu'on se mette en travers de ses désirs.

Que la Russie étendît sa puissance jusqu'aux Dardanelles et qu'elle eût un libre débouché sur la Méditerranée, c'était justement ce qu'aucune puissance de l'Europe occidentale ne désirait, encore moins la France et l'Angleterre. Chaque gouvernement était animé du même instinct et tous voulaient se rapprocher les uns des autres. Le gouvernement anglais envoya à la France le testament du Premier Empereur. Napoléon III écrivit de sa propre main une lettre à Lord Clarendon pour le remercier et il adressa une tabatière aux armes impériales au docteur Dyke, de la Chambre

LA REINE
VICTORIA.
ALBERT ET
VICTORIA
MUSEUM,
LONDRES.

des docteurs. Dès le 31 mai, il avait donné l'ordre à sa flotte de faire voile pour les Dardanelles, « *non pour prendre l'initiative de l'agression, ni pour inciter la Turquie à repousser n'importe quelles conditions, mais pour s'assurer une garantie contre le danger immédiat et pour ménager à la diplomatie, qui en avait besoin, les ressources qui viendraient trop tard si la lutte se présentait une fois les faits accomplis* ».

En vérité, le Tsar semblait menacer la Turquie d'un ultimatum. Il n'avait pas l'intention de revenir sur sa parole. L'été s'acheva, l'automne vint. Les Turcs

CI-DESSUS :
DRAGON
DE L'ARMÉE
AUTRICHIENNE.

posèrent leurs conditions, le Tsar les accepta ; mais alors, trompés par le peu scrupuleux Stratford qui nourrissait une vieille rancune contre le Tsar, les Turcs hasardèrent encore de nouvelles demandes, et le 10 octobre, la Russie et la Turquie se trouvaient de fait en état de guerre quoique les hostilités n'eussent pas encore commencé.

L'Empereur avait beaucoup travaillé pour la paix. Sans doute, ne voulait-il pas que la Russie s'agrandît, mais il espérait fermement que le Tsar serait

assez généreux et prudent pour se contenter d'humilier les Turcs ; car il savait que l'armée turque était très mauvaise et qu'elle serait probablement battue. Dès le début de l'affaire, il s'était logé dans l'esprit de ne pas envoyer un soldat en Orient.

Il fut décidé, en conséquence, que les navires alliés pénétreraient ensemble dans la mer Noire. Après avoir provoqué les Russes en plusieurs petits combats navals, les Turcs subirent une défaite exemplaire. Leur flotte fut réduite en pièces dans leur propre port de Sinope.

Pour l'Empereur des Français, il n'était plus question de la clef de la chapelle, ni de la coupole de Jérusalem : il se trouvait engagé dans une lutte diplomatique que le prestige de l'Angleterre uni à celui de la France soutenait contre la puissance du Tsar. Les troupes russes occupaient toujours la Bessarabie. Mais l'Empereur continuait d'alléguer que la guerre ne serait justifiée qu'autant que toutes les offres de paix auraient été rejetées.

Le 29 janvier 1854, l'Empereur écrivit une lettre personnelle au Tsar. D'un ton ferme, mais conciliant, il y marquait son désir soit d'une entente complète soit d'une brutale rupture. Que les troupes russes se retirent de la Bessarabie, les flottes alliées de la mer Noire et que la Russie traite directement avec la Turquie. Le Tsar opposa un refus. Il répondit avec hauteur que la Russie saurait se montrer en 1854 ce qu'elle avait été en 1812.

C'était la faillite de la diplomatie de Napoléon : « *Je m'occuperai des Turcs, l'Angleterre agira comme il me plaira* » s'était-il vanté ; mais maintenant il désirait seulement voir le Tsar convenablement puni de sa conduite outrageante. Il établit aussitôt le plan d'une attaque de Sébastopol par terre et par mer.

Sébastopol

Une forteresse immense, ou plutôt un redoutable camp retranché, tout un système défensif équipé selon la plus sûre, la plus récente technique, disposé pour appuyer la manœuvre, les évolutions éventuelles d'armées en campagne, pour préparer, si besoin était, le départ de fructueuses contre-attaques. Sébastopol pris, toute la Russie du Sud tombait.

L'armée française – et la britannique, sa voisine – était mal préparée à la guerre de siège. Élevée à l'école d'Algérie, elle mettait au-dessus de tout la mobilité, la rapidité de manœuvre, la concentration soudaine des feux d'infanterie, l'utilisation, au mieux, du terrain.

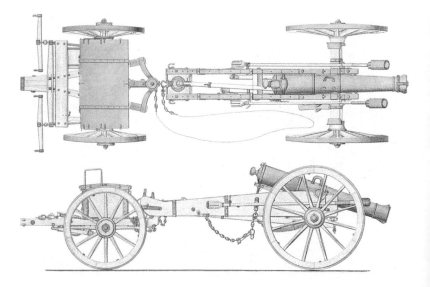

82

L'hiver vint, l'allié traditionnel des Russes. L'armée française grelottait sous les tentes, mais gardait une bonne humeur inaltérable. Tant et si bien que Pélissier, successeur de Canrobert au commandement en chef, put les mener à l'assaut du mamelon Vert, puis de Malakoff enlevé (8 septembre 1855). Sébastopol sous le feu des canons français, il fallut bien que, sur la citadelle, montât le drapeau blanc. Par une sorte de convention tacite entre les adversaires, il fut admis que la chute de Sébastopol marquerait la fin de la guerre. Ainsi les Russes s'avouaient vaincus.

Le congrès de Paris
(1856)

En ce temps-là, une guerre à laquelle avait participé une coalition ne pouvait se terminer autrement que par un « congrès » – ce qu'on appelle aujourd'hui une conférence, une sorte de concile politique. Le congrès de Paris, qui mit fin à la guerre de Crimée, auréola d'un éclat éblouissant l'Empire et surtout l'Empereur. Napoléon III pouvait, en toute conscience, penser que son grand dessein était accompli.

Vainqueur du successeur d'Alexandre Ier, il avait bouleversé l'état de choses établi par les traités de 1815. Il avait effacé le souvenir de cette « année 12 » dont s'enorgueillissent tous les Russes, marquée par le désastre de la retraite, les flammes de Moscou et les glaces de la Bérézina. Il avait forcé l'autocrate à faire la paix.

De la guerre dite de Crimée, la France ne rapportait aucun avantage matériel. Et pourtant... Le congrès de Paris, c'était de nouveau la France mise à

la première place, son armée tenue pour la plus forte, son souverain déclaré l'arbitre de l'Europe. Qui pouvait prétendre se passer d'elle ? La Russie ? elle était vaincue. L'Autriche ? elle avait laissé passer l'occasion soit de figurer dans la coalition, soit de se ranger du côté du Tsar : en tout état de cause, elle subissait une défaite de prestige. La Prusse ? elle n'avait pas bougé pendant la guerre ; elle ne comptait pas encore ou, du moins, n'avait pas encore laissé voir ses intentions lointaines, ses intentions de toujours. L'Angleterre ? elle s'était mise au pas de la France, ses soldats avaient galamment combattu auprès des Français.

Napoléon III abondait en idées, il aimait à se forger des systèmes politiques. A ses dépens et à ceux de son pays.

La mosaïque péninsulaire.

Les traités de Vienne, en 1815, avaient fait de l'Italie la plus singulière mosaïque. Son nom même n'existait plus que dans le langage des poètes et des conjurés politiques. Une foule de souverains, grands ou petits, se partageaient la péninsule.

Sur le Piémont régnait le roi de Sardaigne, seul souverain de race autochtone, ne devant rien à l'étranger. Victor-Emmanuel II représentait cette dynastie de Savoie, qui, bien qu'originaire des versants français des Alpes, était tout entière tournée vers le Piémont, la Lombardie, la vallée du Pô. Vers Turin, sa capitale, les partisans de la liberté, de l'unité italienne, regardaient, comme vers la cité sainte d'où viendrait le salut. En face de la maison de Savoie, plus personne que les étrangers.

L'empereur d'Autriche possédait les riches plaines de Lombardie, Venise l'incomparable, d'où il surveillait l'Adriatique. Dans son orbe, des archiducs, des grands-ducs, représentants tour à tour débonnaires et tyranniques de la Sainte Alliance à Florence, à Parme, à Modène, se réclamaient d'une obédience plus ou moins directe à la monarchie apostolique. Tout le centre de la « botte italienne » était occupé par les États de l'Église, depuis Ancône, sur l'Adriatique, jusqu'à Ostie, sur la Méditerranée. Au sud, le royaume des Deux-Siciles, où règnent les Bourbons de Naples, descendants de Louis XIV. Tout cela (mis à part le roi Victor-Emmanuel de Savoie, souverain du Piémont et de

Sardaigne) formant bloc de réaction et se blottissant sous l'aile de l'empereur de Vienne.

C'est dans cet édifice disparate et poussiéreux que Napoléon III se proposa d'insuffler un air bienfaisant. L'y poussaient son tempérament libéral, l'attitude qu'il avait prise de champion (à l'extérieur) de toutes les libertés et aussi le souvenir des serments prêtés jadis. S'il était tenté d'oublier ses outrances de jeunesse, l'engagement pris, alors que cela ne l'entraînait pas à grand-chose, de délivrer l'Italie dès qu'il en aurait le pouvoir, d'autres se chargeaient de lui rafraîchir la mémoire.

PAGE DE GAUCHE :
NAPOLÉON III,
EUGÉNIE
ET LE PRINCE
LOUIS-NAPOLÉON.

CI-CONTRE :
UN EMPIRE PLUS
LIBÉRAL.
ATTENTAT
D'ORSINI.
14 JANVIER 1858.
MUSÉE
CARNAVALET,
PARIS.

L'attentat d'Orsini

Le 14 janvier 1858, Napoléon III et l'Impératrice, se rendant à l'Opéra, furent l'objet d'un attentat ; ils n'échappèrent que par miracle aux bombes jetées sous leur voiture et qui firent de nombreuses victimes parmi les cavaliers d'escorte et les spectateurs massés sur le passage du cortège. L'enquête de police permit de découvrir, à la base de l'attentat, une vaste conspiration, organisée autour d'un certain Orsini, lequel s'avéra non un criminel vulgaire, ni un illuminé, mais un habile et sans doute sincère agitateur politique. Derrière lui se devinaient dans l'ombre tous les partisans de l'Italie « une ». L'attentat auquel son nom demeure attaché doit être considéré comme une

manœuvre d'intimidation à l'égard de Napoléon III, un sévère et romantique rappel à l'ordre. L'Empereur, aussi bien, ne demandait qu'à voir appliquée à l'Italie, sa terre de prédilection, sa théorie des nationalités.

Ce fut donc dans l'intention la plus idéaliste que Napoléon III se décida à intervenir par les armes en faveur de cette Italie. en laquelle il voyait sa seconde patrie. Au printemps de 1859, il déclara la guerre à l'Autriche, qui l'opprimait. La France n'avait aucun intérêt engagé dans la question, hormis celui des principes. Question de prestige aussi. Après la Russie, l'Autriche ; la puissance de la France victorieuse s'imposerait, aux yeux de l'Europe, avec plus d'éclat encore.

CI-CONTRE :
LA FAMILLE
IMPÉRIALE.

CI-DESSUS :
QUELQUES ANNÉES
PLUS TARD, LE
6 JUIN 1867, ATTENTAT
DE BÉRÉZWSKI SUR
L'EMPEREUR. MUSÉE
D'ORSAY, PARIS.

CI-CONTRE :
VICTOR-
EMMANUEL II,
ROI DE PIÉMONT,
ATTACHE SON
NOM À LA
FONDATION DE
L'UNITÉ
ITALIENNE.
EN 1870,
IL FONDE LA
CAPITALE, ROME.

La guerre d'Italie

CI-DESSOUS :
L'ARMÉE DE
NAPOLÉON III
ARRIVE EN ITALIE
PAR LE MONT
CENIS EN 1859.

Elle fut courte et glorieuse pour la France. Napoléon III commandait en personne l'armée qu'il avait envoyée au-delà des Alpes. S'il ne se révéla pas grand chef de guerre, il fit du moins reconnaître à tous ses qualités de sang-froid, d'impassibilité, de maîtrise absolue de soi.

Magenta et Solferino

À Magenta (4 juin 1859), la garde impériale et les troupes de ligne rivalisèrent d'héroïsme. Un instant, la victoire parut hésiter. Mais il était sans doute écrit que Napoléon III n'avait pas épuisé la coupe enchantée et que la Fortune continuerait de lui sourire.

Comment n'eût-il pas cru à son étoile quand il fit son entrée triomphale dans Milan délivré, rendu à la jeune Italie ? Le roi Victor-Emmanuel II chevauchait à ses côtés ; il venait de se battre brillamment, au coude

CI-DESSOUS : L'ANNÉE SUIVANTE, LE 27 MAI 1860 GARIBALDI, AU NOM DE L'UNITÉ ITALIENNE ENTRE DANS PALERME.

à coude avec l'armée française. Il semblait que l'amitié entre les deux pays dût être, *in sæcula*, au-dessus des fluctuations de la politique...

La bataille de Solférino, quelques jours plus tard (24 juin), au contraire de Magenta, était une opération de grand style, déroulée dans un cadre classique, selon la pure doctrine stratégique et tactique. Les soldats ce jour-là, acclamèrent Napoléon III.

« *Grande bataille, grande victoire* », telles furent les paroles de l'Empereur dans son télégramme à l'Impératrice. Son armée et lui pouvaient se rafraîchir

un moment avec le vin pétillant de la gloire ; mais le lendemain son extase se dissipa : le soleil, brillant plus clair après l'orage, lui révéla l'horreur du champ de carnage. Il y avait là 1 600 Français et 700 Italiens. Les pertes des alliés s'élevaient à 17 000 et celles des Autrichiens à 22 000.

Villafranca (11 juillet 1859)

Napoléon III, en dépit de sa victoire, n'avait plus qu'un désir au cœur : mettre fin à ces abominations, avant toute chose, fût-ce au prix des pires sacrifices, aux dépens des plus légitimes intérêts. C'est pourquoi il prit l'initiative d'un armistice, sans égard pour le plan stratégique par lui arrêté, ni pour les engagements pris. C'était la première fois dans l'histoire que le vainqueur offrait au vaincu une suspension d'armes, prenait presque position de

CI-CONTRE : CAMILLO BENSO DI CAVOUR (1810-1861), PREMIER MINISTRE PIÉMONTAIS, PRINCIPAL ARTISAN DE L'UNITÉ ITALIENNE.

solliciteur. Ces fameux « préliminaires de Villafranca »,
signés au lendemain de Solferino, mettaient fin aux
hostilités entre la France et l'Autriche. Celle-ci se
tirait au mieux d'un fort mauvais pas. Celle-là se
satisfaisait de ses lauriers et de la liberté du Milanais.
Napoléon III renonçait à poursuivre, à parachever
l'œuvre pour laquelle il était entré en guerre : « *L'Italie
libre, des Alpes à l'Adriatique !* » Les Italiens
poussèrent les hauts cris, se déclarèrent joués, bernés,
trahis. Ils oubliaient que, si leurs espérances n'étaient
pas entièrement réalisées, les sacrifices de l'armée
française leur avaient permis d'en accomplir une partie,
non négligeable. Ils oubliaient ce qu'on avait fait pour

CI-DESSUS :
ALLÉGORIE
À LA GLOIRE DE
NAPOLÉON III
PAR CABASSON.
CHÂTEAU DE
COMPIÈGNE.

CI-DESSOUS :
RENCONTRE,
LE 11 JUILLET 1859,
LES EMPEREURS
FRANÇOIS-JOSEPH
ET NAPOLÉON III
À VILLAFRANCA.

eux déjà, ne pensant qu'à ce qu'on n'avait pu faire…
Quoi qu'il en soit, c'est de Villafranca qu'il faut faire
partir tous les malentendus (pour ne pas dire plus) qui
ont marqué plus tard les relations entre la France et
l'Italie. Aussi bien l'Europe commençait de s'agiter et
Napoléon III risquait de voir paraître sur le Rhin une
armée prussienne, prête à profiter de l'absence
momentanée de l'armée française, occupée en
Lombardie.

Une conséquence inattendue de Solferino

L'horreur du carnage, sur les champs sanglants de Solferino, eut une autre suite, pour le plus grand bienfait des hommes. Assistait à la bataille, comme correspondant de guerre, un jeune Suisse Henry Dunant.

Il conçut le projet de réduire les souffrances des combattants, de respecter, de protéger leur héroïsme après la bataille, de les soigner, de sauver ce qui pouvait être sauvé. Et cela, grâce à l'accord de tous, amis et ennemis. Ainsi fut imaginée et réalisée la Croix-Rouge, symbole de paix, créée pour adoucir, pour humaniser la guerre.

CI-DESSOUS : NAPOLÉON III AIMAIT PARAÎTRE AU MILIEU D'UN BRILLANT ÉTAT-MAJOR. JUSQU'À LA FIN, SON GOÛT POUR LES PARADES MILITAIRES NE SE DÉMENTIT PAS.

À la guerre de 1859, la France gagna deux provinces, toutes deux d'ailleurs depuis longtemps orientées vers elle, la Savoie et le comté de Nice. Un plébiscite triomphal sanctionna le double rattachement. Au-delà des Alpes naissait le royaume d'Italie, sous le sceptre de Victor-Emmanuel, qui fixait sa capitale à Florence, en attendant de pouvoir s'installer à Rome. A peine né, le jeune royaume se fixait des ambitions nouvelles, qui ne seront satisfaites, dans l'avenir, que par l'extension du pouvoir royal à la péninsule tout entière. Ces ambitions n'iront pas sans créer de sérieuses difficultés à Napoléon III.

L'aventure mexicaine

Avec le Mexique commence le déclin. Il s'agissait de remplacer le régime instable établi au Mexique par une monarchie solide, placée sinon sous la suzeraineté, du moins à l'ombre de l'Empire français. A Paris, on ne doutait pas qu'un faible corps expéditionnaire envoyé non en adversaire, mais en ami, n'eût facilement raison d'une opposition tenue par avance pour insignifiante. Le Mexique tout entier, à en croire les informateurs, accueillerait avec une gratitude enthousiaste le beau cadeau de Napoléon III à un peuple avide de connaître à son tour les bienfaits du régime impérial.

Du rêve à la réalité, le réveil fut brusque et amer. Le transport au bout du monde, à la Vera Cruz, d'un corps expéditionnaire comptant une trentaine de mille hommes, le terrible climat des tropiques, la résistance imprévue des Mexicains à cette intrusion dans leurs affaires, autant d'obstacles où se brisèrent les espérances. L'armée, sans cesse décimée (moins par le feu que par les épidémies), sans cesse renforcée, d'abord aux ordres de Forey, puis de l'inquiétant Bazaine, mena brillamment la campagne (1862-1868). Mais le dur siège, l'enlèvement de Puebla (5 mai 1863), pour glorieux qu'ils fussent, coûtèrent beaucoup de peine. Au soleil du Mexique fondaient les effectifs, l'armée française perdait le meilleur de sa sève, les arsenaux se vidaient.

CI-CONTRE :
L'EXÉCUTION DE
MAXIMILIEN, 1867,
PAR MANET.
MANNHEIM,
STÄDTISCHE
KUNSTHALLE.

103

A Mexico, l'empereur Maximilien (proclamé en 1864) s'aperçut vite que la volonté de bien faire ne suffit pas et qu'un souverain, que seuls des appuis extérieurs imposent et soutiennent, a peu de chance de se tenir en position quand les mêmes appuis viendront à lui manquer. Devant l'abîme où coulait son armée, où s'engloutissaient des millions, où s'effritait son prestige, Napoléon III n'avait plus qu'une idée : renoncer à son projet, mettre fin à l'aventure désastreuse. Le malheureux empereur Maximilien, après le rappel du corps expéditionnaire français, réduit à ses seules forces contre ses prétendus sujets, dut se retirer devant eux. Rattrapé, traduit en cour martiale, il fut fusillé le 19 juin 1867, à Queretao, avec ses partisans, Miramon et Mejía. Napoléon III sentit vivement la défaite qu'il venait indirectement de subir au Mexique. Pour l'Empire français, elle représentait un sévère avertissement.

CI-DESSUS : À GAUCHE, L'EMPEREUR MAXIMILIEN. À DROITE, BAZAINE, LE COMMANDANT EN CHEF DU CORPS EXPÉDITIONNAIRE AU MEXIQUE.

Le tonnerre de Sadowa

Un autre avertissement venait d'être donné à l'empereur des Français, sur un lointain champ de bataille de Bohême.

L'Allemagne, jusqu'en 1866, était encore aux trois quarts féodale. Comme l'Italie, une mosaïque ou plutôt une poussière de petits États souverains, différents de dimensions, de caractère, de religion (en gros, les États du Sud sont catholiques ; ceux du Nord, protestants). La Bavière, la Saxe, le Wurtemberg, érigés en royaume par Napoléon Ier quand il croyait pouvoir compter sur leur alliance, représentaient des forces non négligeables. Mais que pesaient-elles en face de la terrible, de l'insatiable Prusse, dont, peu à peu, l'ombre s'étendait à l'Allemagne tout entière ? Elle menaçait de prendre la tête du nationalisme allemand, de se faire la championne de l'Allemagne, de toutes les Allemagnes, au nez de l'Autriche, cependant présidente, depuis 1815, de la Confédération germanique. En 1864 encore, l'Autriche s'était jointe à la Prusse pour enlever les duchés de Schlezwig et de Holstein au Danemark. Mais la rupture entre les deux complices avait failli se produire dès l'année suivante, tant Bismarck usa de cynisme lorsqu'il s'agit de régler le sort des deux duchés conquis. Le conflit éclata en 1866, entre l'Autriche et la Prusse.

Napoléon III aurait peut-être pu empêcher, retarder, en tout cas, la rupture ; il faisait encore figure d'arbitre de l'Europe. Mais il était aveuglé par les souvenirs traditionnels. L'Autriche, c'était l'ennemie de toujours ; si elle sortait amoindrie du conflit, la France, pensait-on généralement, ne pouvait qu'y gagner. Quant à la Prusse, depuis Iéna, tout portait à croire que, même victorieuse, elle ne le serait pas assez pour devenir dangereuse. Entre deux adversaires

CI-DESSUS :
GUILLAUME 1ER.

CI-CONTRE :
VICTOR-
EMMANUEL III,
GUILLAUME 1ER,
FRANÇOIS-JOSEPH,
FIGURENT LA
TRIPLE-ALLIANCE
(20 MAI 1882).

également fatigués, la France serait bonne marchande en tous les cas et, sans nul doute, compte lui serait tenu de son désintéressement, puisque, comme chacun sait, la neutralité se paie, aussi bien, sinon mieux, que le concours effectif… Et puis, l'unité allemande, c'était une application grandiose du principe des nationalités. Comment Napoléon III n'y eût-il point par avance souscrit ?

L'Autriche fut écrasée sans recours à Sadowa (3 juillet 1866) par l'armée prussienne. la Prusse la remplaçait à la tête de la Confédération germanique.

CI-CONTRE :
BISMARCK.

Immédiatement, le ton changea dans les rapports entre Paris et Berlin. Bismarck parlait en maître et ne cachait pas que, l'Autriche éliminée, le tour de la France ne tarderait guère. L'Autriche, de son côté, ne pardonnait pas à la France de l'avoir laissé écraser. Elle avait, en revanche, battu à plate couture les Italiens. Ceux-ci, atteints dans leur amour-propre, rendaient responsable de tous leurs malheurs l'empereur des Français. Ainsi tout le monde était mécontent. Ce fut bien pis quand Napoléon III, s'étant avisé de rappeler les engagements pris par la Prusse, réclama la compensation envisagée.

Bismarck poussa les hauts cris, ameuta l'opinion allemande contre la prétendue avidité française. L'affaire ne pouvait tourner plus mal. L'armée française immobilisée au Mexique, ne pesait guère dans la balance. Les mauvais jours allaient commencer. L'heure était passée des guerres de prestige, des guerres idéalistes ; le jour approchait des guerres défensives.

CI-DESSOUS :
SUR LES
BOULEVARDS DES
ITALIENS EN 1856.
MUSÉE
CARNAVALET,
PARIS.

Les grands travaux
L'urbanisme, les espaces libres

A peine au pouvoir, l'Empereur entreprit de réaliser le grand programme d'assainissement qu'il échafaudait dans sa tête depuis tant d'années.

Le bois de Boulogne n'était alors qu'une forêt boueuse, close de murs, peuplée de rôdeurs, arrosée par un mince ruisselet. Il devint un parc de plaisance, où les lacs alternent avec des pelouses et d'harmonieuses futaies. En pendant, à l'autre bout de Paris, le bois de Vincennes forme le second poumon qui va permettre à la grande ville de respirer. Dans Paris, le parc Monceau est ouvert au public ; le parc Montsouris au sud, les buttes Chaumont au nord constitueront des réserves

CI-DESSOUS :
LES BUTTES
CHAUMONT.

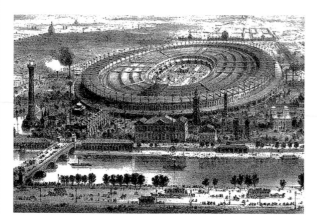

d'oxygène, des réservoirs de santé. Et, dans tous les quartiers, des squares, répartis à travers la ville entière, des arbres partout plantés, au long des nouvelles avenues, dessineront un immense réseau de verdure.

L'empereur voulait dégager les quartiers populaires où, depuis des siècles étaient nées les émeutes et les révolutions, ces quartiers où naissaient si facilement les barricades ; il voulait enfin réaliser le dessein de son oncle : « *Je veux que Paris soit non seulement la plus belle capitale qui soit, non seulement la plus belle qui ait jamais été, mais la plus belle qui puisse jamais être.* »

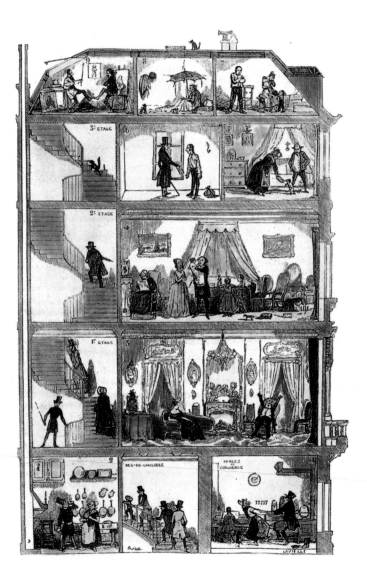

115

CI-DESSUS :
DAME EN
CRINOLINE BLEUE
SUR FOND JAUNE,
PEINTE PAR
CONSTANTIN GUYS
(1805-1892).

CI-CONTRE :
L'IMPÉRATRICE
JOSÉPHINE REÇOIT
À LA MALMAISON
LA VISITE DE
L'EMPEREUR
ALEXANDRE, À QUI
ELLE
RECOMMANDE SES
ENFANTS, 1864.

116

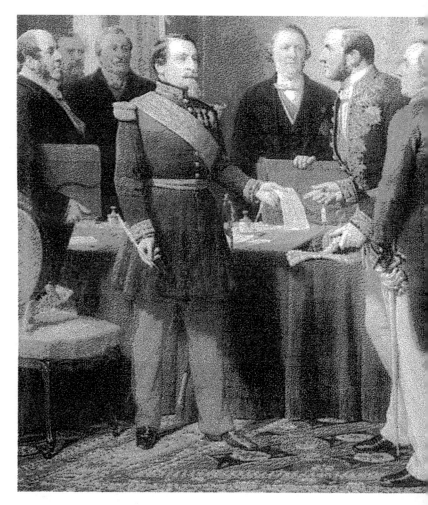

Les grands travaux d'Haussmann

Le baron Haussmann ne craignait pas de tailler dans le vif. C'est à lui qu'on doit la transformation complète de Paris, le dégagement du Carrousel, la réunion du Louvre et des Tuileries, ces larges avenues, ces boulevards rectilignes, ces places rayonnantes, ces quais monumentaux, cette transformation complète d'une ville dont l'aspect n'avait guère changé depuis Louis XIV. Mais Paris n'est pas tout. Napoléon III voulut habiller à neuf la France entière ; il l'a marquée de son sceau. En province, il n'y a pas une préfecture, pas un hôtel de ville, pas un palais de justice, pas une bourse de commerce qui ne porte la marque du Second Empire.

120

CI-DESSUS :
LES GRANDS
MAGASINS, PAR
FÉLIX VALLOTTON.

Au rendez-vous de l'Europe
L'exposition de 1867

CI-DESSOUS :
VUE DE
L'EXPOSITION
UNIVERSELLE AU
PALAIS DE
L'INDUSTRIE.

Quand Napoléon III reçut la dépêche annonçant la mort tragique de l'empereur Maximilien du Mexique, l'écroulement du beau rêve latin, il était en train de présider en grande pompe la distribution des récompenses décernées à l'occasion de l'Exposition Universelle.

Cette exposition de 1867, c'était une sorte d'apothéose. Jamais l'Empire n'avait paru si solide, si profondemment implanté.

CI-DESSOUS :
LE PRINCE
IMPÉRIAL À
L'EXPOSITION
DE 1867,
PAR CARPEAUX.
MUSÉE DES
BEAUX-ARTS,
VALENCIENNES.

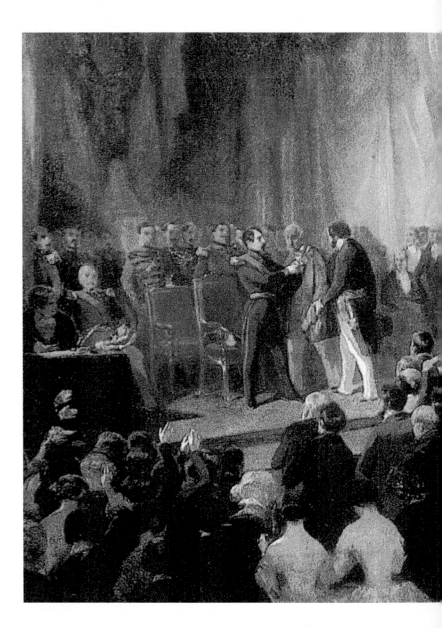

Politique

La politique du Second Empire, il faut bien le reconnaître, reposait sur un perpétuel porte-à-faux : autoritarisme à l'intérieur, libéralisme à l'extérieur.

Napoléon III avait un goût indiscutable pour la liberté, mais le régime qu'il avait institué, mettant tous les pouvoirs, toutes les décisions, tous les modes d'expression dans la main de l'État, c'est-à-dire du souverain, l'obligeait à une rigueur que le temps ne faisait qu'augmenter à mesure que l'opposition reprenait des forces. En même temps, sur le terrain international, il soutenait matériellement, par les armes, moralement, par les conseils de sa diplomatie, toutes les tentatives d'affranchissement des peuples.

Pour le conseiller, pour le soutenir, l'Empire avait quelques bons ouvriers. On n'en veut citer que deux, dont l'influence fut considérable : Morny, demi-frère de l'Empereur (il était fils de la reine Hortense), ministre de l'Intérieur du coup d'État, puis président du Corps législatif, c'est-à-dire de la Chambre des députés. Il sut empêcher bien des erreurs, éviter bien des faux pas. Le vigoureux Rouher n'était pas un homme de nuances, mais sa belle éloquence, la solidité de ses convictions furent pour l'Empereur de précieux appoints. Ministre d'État, Rouher, qu'on appelait le « vice-empereur », le porte-parole du gouvernement, rendit au régime et au souverain les plus grands services.

En face de ces deux grands serviteurs, il faut mentionner les adversaires.

CI-CONTRE :
LE PRÉSIDENT LOUIS-NAPOLÉON, PRÉSIDENT DE LA RÉPUBLIQUE,
REMETTANT LA LÉGION D'HONNEUR À UN OUVRIER.
MUSÉE NATIONAL DU CHÂTEAU DE COMPIÈGNE, OISE.

L'opposition était pratiquement réduite au silence. Pendant des années, elle n'était représentée au Corps législatif que par le groupe minuscule des Cinq ; la presse était tenue de près, quasi muselée, par une censure terriblement vigilante. Cependant les opposants finiront par faire entendre leur voix. Celle de Victor Hugo, venue de Jersey, puis de Guernesey, couvre le

CI-CONTRE :
LÉON GAMBETTA.

CI-DESSOUS :
TITRE
DU JOURNAL
«LA LANTERNE»
EN 1895.
MUSÉE DE LA
PUBLICITÉ, PARIS.

bruit de la mer. « *Le père est là-bas, dans l'île...* »,
disait-on parmi les républicains, pour se donner du
courage. Jusqu'au retour de la République, il ne fléchira
pas d'une ligne. Comment, parmi ceux qui tiennent tête,
ne pas nommer Thiers, toujours clairvoyant, toujours
écouté, toujours applaudi, mais qui n'est pas l'homme
d'airain qu'il souhaitait d'être ? Comment oublier
Émile Picard, et Jules Favre, et Prévost-Paradol, qui se
ralliera au dernier jour, et Émile Ollivier, qui, lui aussi,
loyalement, apportera son concours à l'Empereur ?
Comment oublier Rochefort, sagittaire infatigable, de
qui les flèches n'épargnent aucune erreur ? Sa petite
Lanterne à la couverture couleur d'orange, a porté à
l'Empire des coups plus durs que bien des grands
discours. Comment surtout oublier Gambetta, à la
grande voix de qui ressuscitera la République !

Résultats

En dépit de la phrase fameuse de Rochefort : « *La France compte trente-six millions de sujets, sans compter les sujets de mécontentement* », la France n'était pas si mécontente que cela. Il suffisait pour s'en convaincre de consulter, comme on dit aujourd'hui, la carte électorale. Si l'opposition gagne à Paris sur un rythme accéléré, les départements, les campagnes surtout, demeurent fidèles au régime. L'Empire a plongé des racines profondes, durables, dans les populations rurales. L'étonnante prospérité du pays prive l'opposition de son plus sûr argument. En 1868, le gouvernement impérial avait lancé un emprunt, couvert plus de trente fois par les souscripteurs, qui faisaient confiance.

Écoutons ce que dit un biographe non suspect d'indulgence excessive envers l'Empereur : « *Dans l'ordre économique, la conversion de la rente* (1852) *par un triple emprunt national, réalisant ainsi près de deux milliards d'argent frais, le remaniement du système des douanes, l'abolition des prohibitions, l'abaissement des droits protecteurs, le traité de libre-échange avec l'Angleterre ; trois années de disette agricole, traversées sans rouble (1855-1857) ; les chemins de fer développés avec une rapidité et une hardiesse foudroyante ; le télégraphe électrique mis, dans la France entière, au service des particuliers ; une fièvre universelle d'entreprises commerciales et industrielles et, à côté de catastrophes la création de fortunes colossales ; un développement inouï du crédit public qui, en attendant les conséquences inévitables des exagérations, multiplie les forces et l'action du présent.* »

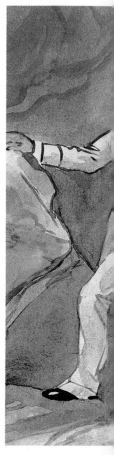

CI-DESSOUS :
LA SECONDE
GARE DU NORD
À PARIS PAR
J.-I. HITTORF,
1861-64.

CI-CONTRE :
FERDINAND
DE LESSEPS.

L'équipement nouveau du pays, la création du Crédit foncier, pour aider les petites communes et les petits propriétaires, les encouragements de toute expèce à l'industrie, au commerce, furent entrepris. Au-delà des mers, l'organisation administrative de l'Algérie, la création d'une colonie, tout de suite florissante, en Cochinchine (1860), les encouragements donnés à la navigation inter-continentale témoignent d'une même volonté, sinon d'expansion politique, du moins de rayonnement, chère à

l'Empereur. Son action personnelle se marque tout particulièrement dans le percement de l'isthme de Suez. L'affaire n'est pas seulement une des plus fructueuses entreprises financières qui soient, elle témoigne d'une volonté souveraine. Ferdinand de Lesseps, cousin de l'Impératrice, n'aurait sans doute pu aussi vite et aussi brillamment aboutir s'il n'avait eu le soutien clairvoyant et tenace de Napoléon III. En 1869, l'inauguration du canal, par l'impératrice Eugénie, fut le dernier rayon de soleil de l'Empire.

Sur le plan social, la main de l'Empereur se retrouve dans toutes les tentatives, tous les résultats obtenus : droit de grève, amorce du droit syndical, de la législation du travail, lutte contre les taudis, organisation de l'enseignement secondaire de jeunes filles, etc. Le Second Empire, sur le plan intellectuel, sur le plan artistique, c'est assurément l'une des

époques les plus brillantes, les plus fécondes de l'histoire française. L'influence personnelle du souverain y est partout sensible. Si les frondeurs ne manquaient pas, nombreux étaient, parmi les artistes et les écrivains, ceux qui apportaient à l'Empire l'appoint de leur talent. Le prix quinquennal dit prix de l'Empereur (1 000 000 francs) témoignait du souci qu'avait le souverain d'encourager la vie intellectuelle de la France. Ce sont des professeurs libéraux qu'il charge de l'instruction du Prince impérial. D'autre part, la vie de cour, autour de l'Impératrice, les fêtes éblouissantes des Tuileries, les fameuses « séries » de Compiègne, où défilait tout ce qui, en France, marquait à un titre quelconque, le luxe du régime (qui faisait vivre une foule d'industries, de maisons de commerce, des milliers d'ouvriers), ne comptaient pas pour peu dans le prestige de l'Empire en Europe.

La fin

Un plébiscite, en mai 1870, approuva par plus de six millions de voix la tentative libérale ; l'Empire paraissait assis sur de nouvelles et solides bases, rajeuni, revigoré ; parmi ses adversaires eux-mêmes, quelques-uns, et non des moindres, commençaient de se rallier.

L'usure inhérente à tous les régimes, n'est pas parvenue à faire tomber l'homme qui, au moment de régler ses comptes avec la nation, peut invoquer à son actif une prospérité telle que la France en connut rarement de pareille, et l'entrée dans la carte française de deux provinces, la Savoie et le comté de Nice.

CI-DESSUS :
L'ANNÉE 1869
MARQUA LA FIN
DU RÉGIME
AUTORITAIRE ET
L'INSTAURATION
D'UN SYSTÈME
PLUS LIBÉRAL.
CE FUT POURTANT
DANS UNE
ATMOSPHÈRE
D'ÉMEUTE QUE
LE NOUVEAU
MINISTÈRE,
CONSTITUÉ LE
2 JANVIER PAR
ÉMILE OLLIVIER,
FIT SES DÉBUTS.

La guerre

Voici les faits qui amenèrent la guerre. L'Espagne se cherchait un souverain. Elle fixa son choix sur le prince Léopold de Hohenzollern, parent du roi de Prusse. A la perspective d'avoir à sa frontière méridionale un souverain allemand, de risquer le danger d'une menace simultanée sur les Pyrénées et sur le Rhin, la France s'inquiéta, prit feu, parla de *casus belli*. Sagement, le roi Guillaume obtint de son neveu le retrait de sa candidature.

CI-CONTRE :
LE ROI GUILLAUME DE PRUSSE, QUI TROUVERA LA COURONNE IMPÉRIALE DANS SA VICTOIRE SUR LA FRANCE.

Tout paraissait arrangé. Napoléon III était, à coup sûr, sincère dans son amour de la paix. Quand il apprit que tout danger de guerre paraissait écarté, il eut l'air d'un homme sauvé du naufrage. Mais, las, malade, à bout de résistance, incapable de redresser une volonté vacillante, il lâcha la main et laissa faire le destin. Il souffrait, en effet, depuis longtemps, d'une maladie de vessie qui le laissait prostré et sans force.

Le gouvernement français en vint à prétendre exiger du roi de Prusse des garanties formelles, lui demandant l'engagement pour l'avenir de ne pas reproduire la candidature Hohenzollern. C'était courir de propos délibéré à la guerre, car nul ne pouvait ignorer les desseins de Bismarck, le ministre tout-puissant, et qui ne cherchait qu'un prétexte pour attaquer.

La campagne commença par un engagement de détail, à Sarrebruck, annoncé à Paris comme une grande victoire. Un sérieux échec à Wissembourg marqua le prélude de la funeste journée du 6 août : la double défaite, ce jour-là, de Forbach et de Frœschwiller, perçant les lignes de Lorraine et d'Alsace, ouvrait la route de Paris. Sous la pression de l'opinion, Napoléon III céda le commandement à Bazaine, lui-même demeurant aux armées, mais sans exercer aucune action sur la marche des opérations. De même qu'à son départ il avait laissé le pouvoir à l'Impératrice, proclamé régente, et abandonné explicitement ses droits de souverain, de même, au vent de la défaite, ses prérogatives de chef de guerre s'évanouissaient. C'est ainsi qu'il accomplit, malade, désespéré, les dernières étapes de son calvaire, à la suite de l'armée de Mac-Mahon, formée à Châlons pour aller au secours de Bazaine, immobilisé, du fait de sa coupable inertie, devant Metz et incapable de profiter des avantages dus à l'héroïsme de ses troupes. Le 31 août, la dernière armée de la France arrivait à Sedan.

L'heure suprême : Sedan

Au matin du 1ᵉʳ septembre, le soleil levant fit voir à l'armée française le sort inéluctable qui l'attendait. Avant même que s'engageât la bataille, elle était perdue. Comment espérer qu'elle pourrait échapper à la masse où elle venait se laisser enfermer ? Les Allemands, de toutes parts, dominaient la cuvette d'où les Français essayaient, avec un vain héroïsme, de se dégager, enserrés par une ceinture de feu. Dès les premières heures de la matinée, tout espoir était perdu ; et d'admirables faits d'armes comme la défense de Bazeilles ne pourraient rien y changer.

A GAUCHE : L'AFFRONTEMENT DES ARMÉES FRANÇAISES ET ALLEMANDES À CHAMPIGNY-SUR-MARNE.

CI-DESSOUS : L'ARMÉE À SEDAN.

Napoléon III, prisonnier de guerre, fut envoyé en captivité à Wilhelmshöhe, dans une ancienne résidence, sous l'Empire premier, de Jérôme, alors roi de Westphalie. C'est là qu'il apprit la révolution du 4 septembre, le départ de l'Impératrice. Il la rejoignit quelque temps après, en Angleterre, où la nouvelle lui parvint du vote de l'Assemblée à Bordeaux, prononçant sa déchéance. Il semblait que son nom fût rayé de la mémoire des Français.

Napoléon III mourut le 9 janvier 1873, des suites d'une opération.

CI-CONTRE ·
ARTILLERIE
ALLEMANDE
UTILISÉE POUR
BOMBARDER
PARIS. MILLE DEUX
CENTS
PROJECTILES
FURENT LANCÉS
SUR LA VILLE EN
TROIS SEMAINES.

LA DERNIÈRE PHOTOGRAPHIE
DE NAPOLÉON III.

Compogravure : Minerve Compogravure - Châtel-Censoir.
Impression, brochage : P.P.O.Graphic - Pantin.